J-M DEROUEN

LAURE

ZE VAIS TE MANZER

POUR YOUENN. LAURE.

DANS LA FORÊT,
SOUS LES SAPINS,
IL Y A UN LOUP...

UN GRAND LOUP.
UN GRAND MÉCHANT LOUP !
IL A FAIM... IL A TRÈS FAIM...
IL A MÊME TRÈS TRÈS FAIM...

ET IL ATTEND...
IL ATTEND QUE DEVANT LUI,
PASSE DE LA CHAIR FRAÎCHE !

ET UN MATIN, ARRIVE SUR LE CHEMIN, UN LAPIN.
UN PETIT LAPIN BLANC, TOUT POILU, TOUT DODU,
TOUT JOUFFLU, UN PETIT LAPIN BLANC
QUI S'EN VA TOUT CONTENT AU MARCHÉ BIO
ACHETER 3 KILOS DE CAROTTES FRAÎCHES !

LE LOUP BONDIT EN CRIANT : << AAAAaHH !
ZE VAIS TE MANZER PETIT LAPIN BLANC,
ZE VAIS TE MANZER TOUT DE ZUITE ! >>

- ATTENDS... GRAND MÉCHANT LOUP, ATTENDS !
TU PEUX RÉPÉTER CE QUE TU VIENS DE DIRE ?
- BAH OUI, Z'AI DIT : ZE VAIS TE MANZER, PETIT LAPIN
BLANC, ZE VAIS TE MANZER TOUT DE ZUITE !

- OOOOOoooH !
TOI, À MON AVIS,
TU AS UN CHEVEU SUR
LA LANGUE.
ÇA DOIT TE GÊNER...
ALLEZ,
GRAND MÉCHANT LOUP,
OUVRE LA GUEULE
POUR VOIR...

- AAAAAAH !
- MAIS NON ! OUVRE PLUS GRAND,
JE N'Y VOIS RIEN !
- AAAAAAAAH !

- NE BOUGE PAS,
GRAND MÉCHANT LOUP !
RESTE COMME ÇA.
JE VAIS CHERCHER
UNE PINCE À ÉPILER
ET JE REVIENS
TOUT DE SUITE
POUR TE LE RETIRER.
SURTOUT, **NE BOUGE PAS !**

- D'ACCORD MAIS **FAIOUIIIIIITE !**

- HEIN ? QUOI ? QU'EST-CE QUE TU DIS ?

- ZE DIS : D'ACCORD MAIS...
ZE NE OUAIS PAS OUESTER
OUONG-TEMPS ...COMME ...A !

LE LOUP ATTEND
1 HEURE,
2 HEURES...

... 3 HEURES,
QUAND TOUT À COUP
ARRIVE SUR LE CHEMIN
UN PETIT LAPIN ROUX !

« AAAaaH ! ZE VAIS TE MANZER,
PETIT LAPIN ROUX, ZE VAIS TE MANZER
TOUT DE ZUITE ! »

-OH LUI, HÉ ! TU NE SAIS PAS Y FAIRE !
TU N'Y CONNAIS RIEN GRAND MÉCHANT LOUP !
CE N'EST PAS COMME ÇA QU'IL FAUT S'Y PRENDRE
SI TU VEUX MANGER DU LAPIN !
SI TU VEUX M'ATTRAPER, IL FAUT D'ABORD
TE CACHER DERRIÈRE UN ARBRE, IL NE FAUT PAS
QU'ON TE VOIE, IL NE FAUT PAS QU'ON T'ENTENDE...
SURTOUT LORSQU'ON A UN GROS CHEVEU
SUR LA LANGUE COMME TOI !

ALLEZ, ON VA LE REFAIRE :
CACHE-TOI DERRIÈRE
CET ARBRE ET MOI,
JE REPARS ET JE FAIS COMME SI JE NE T'AVAIS PAS
VU ET DÈS QUE TU ENTENDS DU BRUIT... ZIP !
TU SORS DE TA CACHETTE, TU ME SAUTES DESSUS,
ET TU ME CROQUES ! D'ACCORD ?

- C'EST D'ACCORD !
OH BEN TOI DIS DONC,
T'ES ZENTIL QUAND MÊME !
T'ES UN BEN ZENTIL PETIT LAPIN ROUX !

LE LOUP SE CACHE DERRIÈRE
UN GROS SAPIN ET IL ATTEND.

IL A FAIM, DE PLUS EN PLUS FAIM.
IL A COMME QUI DIRAIT UNE FAIM DE LOUP !

LE LOUP ATTEND...
1 HEURE,
2 HEURES,
3 HEURES,
QUAND TOUT À COUP, IL ENTEND DU BRUIT !

LE LOUP SE DIT :
"ZE VAIS FAIRE EXACTEMENT
COMME LE PETIT LAPIN ROUX
M'A DIT DE FAIRE !"

IL BONDIT COMME UN FOU
HORS DE SA CACHETTE
ET LA GUEULE GRANDE OUVERTE
IL SE JETTE SUR LE LAPIN !

SAUF QUE LE LAPIN,
S'IL EST BIEN ROUX,
IL N'EST PAS PETIT,
BIEN AU CONTRAIRE !
IL EST GROS, **TRÈS GROS,**
TRÈS TRÈS GROS !

IL EST MÊME ÉNOOOOOOORME !
ET IL N'AIME PAS QU'ON LUI MORDE
LES FESSES !

- ESSSSCUZEZ-MOI,
MONSIEUR OURS BRUN,
ZE ME SUIS TROMPÉ !
ZE VOUS AI PRIS POUR
UN PETIT LAPIN ROUX !

UN TOUT PETIT LAPIN ROUX.

POURSUIVI PAR L'ÉNORME
ANIMAL, LE LOUP COURT.
IL COURT, IL COURT, IL COURT
À TOUTE VITESSE...
À TOUTE ALLURE !
IL COURT SI VITE QUE...

BOUM !
PATATRAS !!

LE LOUP EST ARRÊTÉ NET
PAR UN ÉNORME CHÊNE
QUI SE TROUVAIT LÀ,
EN PLEIN MILIEU
DE SON CHEMIN !

QUAND IL REPREND SES ESPRITS,
IL S'APERÇOIT QU'IL A PERDU
TOUTES SES DENTS !
OUI ! TOUTES SES DENTS !

ALORS, **ATTENTION !**

VOUS QUI LISEZ
CETTE HISTOIRE,
SI JAMAIS, UN JOUR VOUS ALLEZ
VOUS PROMENER DANS LA FORÊT,
VOUS Y RENCONTREREZ
SÛREMENT GRAND MÉCHANT LOUP,
CAR IL EXISTE TOUJOURS !

OUI ! PARFAITEMENT.
IL EXISTE TOUJOURS !
MAIS RASSUREZ-VOUS, VOUS NE RISQUEZ RIEN.
CAR DEPUIS CE FAMEUX JOUR,
LE GRAND MECHANT LOUP EST DEVENU :

JP French DEROU

Derouen, J.
Ze vais te manzer.

PRICE: $9.95 (9024/JP   )

ÉDITIONS FRIMOUSSE
DÉPOT LÉGAL À PARUTION
TOUS DROITS RÉSERVÉS POUR TOUS PAYS
IMPRESSION, RELIURE : GRAFICHE AZ SRL (ITALIE)
ISBN : 978-2-35241-159-8